MIS PRIMERAS PÁGINAS

Título original: *Carlotta fa un giretto*

© Francesco Altan
© Edizioni EL, 1992 (obra original)
© Hermes Editora General S. A. - Almadraba Infantil Juvenil, 2009
www.almadrabalij.com
© Clara Vallès, por la traducción del italiano
Este libro fue negociado a través de Ute Körner Literary Agent, S. L., Barcelona
(www.uklitag.com)

Primera edición: febrero de 2009
Primera reimpresión: septiembre de 2012

ISBN: 978-84-9270-222-0
Depósito legal: B-26.293-2012
Impresión: INO Reproducciones
Printed in Spain

SAMANTA DA UN PASEO

Francesco Altan

Almadraba
INFANTIL JUVENIL

ES DE NOCHE
Y EL PUEBLO DUERME.

EN EL PUEBLO
HAY MUCHAS CASAS.

EN LA CASA AMARILLA
VIVE SAMANTA,
LA ELEFANTA ROSA.

SAMANTA DUERME
EN SU CAMA.

CUANDO SALE EL SOL,
EL PAJARITO CANTA:
«¡DESPIERTA, SAMANTA!».

LA ELEFANTA SAMANTA
SE LEVANTA.

DESPUÉS VA
AL CUARTO DE BAÑO
Y SE LAVA LOS DIENTES
CON EL CEPILLO.

SAMANTA SALE DE CASA.

EL SOL
ESTÁ RESPLANDECIENTE
Y HACE MUCHO CALOR.

MAMÁ LE PONE
UN SOMBRERO
EN LA CABEZA.

LA ELEFANTA
VIVE EN ÁFRICA.

ÁFRICA ES UN LUGAR
MUY GRANDE.

SAMANTA PUEDE CORRER
CUANTO QUIERE
PORQUE HAY
MUCHO ESPACIO.

AHORA SAMANTA TIENE SED
Y BEBE A SORBITOS
DEL LAGO.

SU TROMPA
ES COMO UNA PAJITA.

EL AGUA ESTÁ FRESCA.

LA ELEFANTA ESTÁ
UN POCO CANSADA.

DESCANSA A LA SOMBRA
DE UNA BONITA PALMERA.

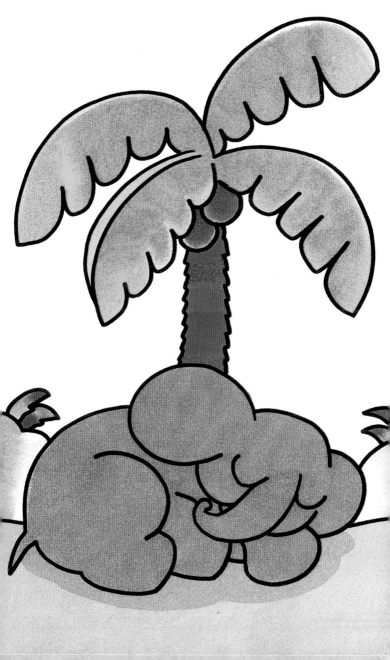

SAMANTA QUIERE
VOLVER
CON SU MAMÁ,
PERO YA NO RECUERDA
DÓNDE ESTÁ SU CASA.

POR SUERTE
LLEGA EL PAPAGAYO
NARANJA.

EL PAPAGAYO LE PREGUNTA:
«¿DE QUÉ COLOR
ES TU CASA?».

SAMANTA LE RESPONDE:
«ES AMARILLA
COMO AQUELLA
MARIPOSA LINDA».

EL PAPAGAYO
VUELA MUY ALTO
Y VE LA CASA AMARILLA.

LA CASA ESTÁ
ENCIMA DE UNA COLINA.

EL PAPAGAYO
LE DICE A SAMANTA:
«SÍGUEME.
TE LLEVARÉ
CON TU MAMÁ».

LA MAMÁ DE SAMANTA
LA ESPERA
CERCA DE LA CASA.

LLEVA UN GORRO VERDE
Y UN VESTIDO AZUL.

SAMANTA ESTÁ DURMIENDO.

EL PAPAGAYO
ESTÁ DURMIENDO
JUNTO A ELLA.

SOBRE SU CAMA
HAY UNA COLCHA ROJA.

LAS CASITAS

1

2

3

4

5

6

7

8

9

¿CUÁNTAS CASITAS HAY?
(ESCRIBE EL NÚMERO)

AQUÍ...

AQUÍ...

AQUÍ...

AQUÍ...

AQUÍ...

EL LABERINTO

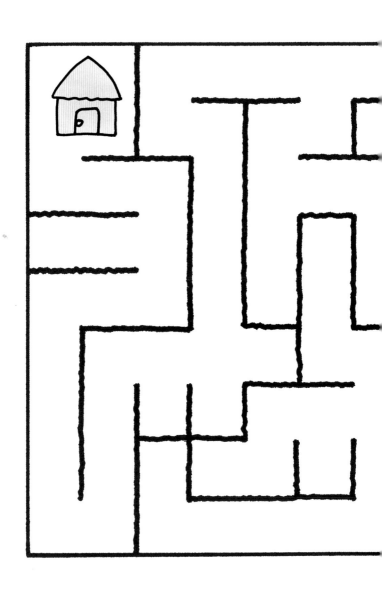

SAMANTA
HA DE ENCONTRAR SU CASA.

AL LADO DE CADA COLOR,
ESCRIBE EL NOMBRE
DE LAS COSAS
QUE EN EL CUENTO
SON DE ESE COLOR.

COGE UN LÁPIZ
Y DIBUJA UNA LÍNEA
PARA UNIR
CADA COSA
CON SU NOMBRE.

SOMBRERO

ESTRELLA

LUNA

CEPILLO DE DIENTES

PALMERA

CASITA

SOL

PÁJARO

VESTIDO

MIS PRIMERAS PÁGINAS

PUEDES SEGUIR JUGANDO
CON LA ELEFANTA SAMANTA EN
www.misprimeraspaginas.com

ENTRA Y DESCARGA
LA **FICHA DE LECTURA** Y MÁS
PROPUESTAS DE ACTIVIDADES.